O QUE PODEMOS
APRENDER
COM OS GATOS

EDITORA
ALAÚDE

NEIL SOMERVILLE

TRADUÇÃO DE RAQUEL NAKASONE

# O QUE PODEMOS APRENDER COM OS GATOS

## 60 GRANDES LIÇÕES PARA LEVAR A VIDA COM GRAÇA E LEVEZA

*Este livro é dedicado aos gatos.*

*Para Roly, Smartie, Lily e Harry, e para o seu gato ou um gato que você conheça.*

# SUMÁRIO

# INTRODUÇÃO

Os gatos têm um lugar especial em nossa vida. Com afeto, graça, companheirismo e personalidade, eles podem nos dar muita alegria e, de várias maneiras, também nos ensinar – e nos lembrar de – verdades úteis. Seja com suas peculiaridades, com a forma como lidam com as coisas, seja através de nossa observação e da nossa convivência com eles, os gatos demonstram ter uma grande sabedoria.

Nas páginas seguintes estão sessenta lições inspiradas por eles.

Desfrute-as, pense sobre elas. Espero que elas sejam, para você, inspiradoras e enriquecedoras.

# PERSISTÊNCIA

"GATOS PARECEM SEGUIR O PRINCÍPIO DE QUE NUNCA FAZ MAL PEDIR O QUE SE QUER."

JOSEPH WOOD KRUTCH

Quando um gato quer comer, não vai deixar dúvidas sobre o que ele deseja. Seja miando bem alto, ficando no seu caminho ou olhando suplicante para o pratinho de comida, é praticamente impossível ignorar um gato determinado. E ele vai continuar até você ceder.

O gato conhece bem a importância de persistir, e a persistência quase sempre compensa. Se há algo que você quer, não corra o risco de se decepcionar guardando para si; seja como um gato. Seja comunicativo e peça. Peça de novo, se necessário. É pedindo que se tem mais chances de receber.

# GRATIDÃO

"PARA AGRADAR,
O GATO RONRONA."

PROVÉRBIO IRLANDÊS

O gato, mestre da boa vida, gosta de ser paparicado. E, quando recebe carinho ou atenção, indica seu prazer com um profundo e ritmado ronronar. É o jeito felino de dizer “obrigado”, e, como sabemos que ele está agradecendo, continuamos a paparicá-lo ainda mais.

Mostrar gratidão pelo que os outros fazem vai agradá-los e também deixá-los mais propensos a continuar agindo de maneira positiva com você.

Seja como um gato: agradeça e reconheça os favores e as gentilezas que você recebe.

# RELAXE

“NENHUM DIA É TÃO RUIM
QUE NÃO POSSA MELHORAR
COM UMA SONECA.”

CARRIE SNOW

Um dos prazeres dos gatos é tirar uma soneca. Seja ao lado de uma fogueira quentinha, seja em um canto ensolarado no jardim, o gato ama se enrolar e curtir um cochilo.

Isso é algo que nós também podemos aproveitar. Alguns momentos de descanso durante o dia podem nos fazer muito bem. Encontre um lugar silencioso onde você possa fechar os olhos por alguns minutos e escapar do barulho e da agitação ao redor; ou, se conseguir, deite-se por um tempinho durante o dia. Essa pausa fará com que você se sinta melhor, renovado e, provavelmente, mais produtivo.

Seja como um gato e curta as vantagens de uma soneca ocasional.

# OBSERVAÇÃO SILENCIOSA

"GATOS SÃO UM TIPO MISTERIOSO – HÁ MAIS EM SUA MENTE DO QUE NÓS PODEMOS IMAGINAR."

*SIR* WALTER SCOTT

Esteja em um galho de árvore, em um telhado ou em qualquer outro lugar, um gato é sempre talentoso ao selecionar pontos de observação do que acontece ao redor enquanto permanece despercebido.

Observação silenciosa é algo que nós também podemos aprender. A vida costuma ser tão agitada que raramente paramos para examinar onde estamos, o que estamos fazendo, qual é o nosso papel e o nosso propósito. Mas se adotarmos a prática do gato, que observa em silêncio, e avaliarmos o que acontece ao nosso entorno e também as coisas que fazemos, não só vamos perceber mais, como provavelmente surgirão mais ideias e possibilidades. Seja como um gato e reserve um tempo para observar silenciosamente; sua perspectiva e sua atenção ficarão muito mais afiadas.

# SAUDAÇÕES ESPECIAIS

"HÁ POUCAS COISAS NA VIDA MAIS EMOCIONANTES QUE SER ACOLHIDO POR UM GATO."

TAY HOHOFF

Muitos gatos satisfeitos e alegres com a sua presença vão rolar e se deitar com a barriga para cima. Às vezes eles vão até deixar que você faça carinho no pelo macio, mas, se tocar num lugar sensível, cuidado! Quando um gato se deita com a barriga para cima, é sinal de confiança e amizade. É uma saudação especial reservada para poucos.

Podemos seguir o exemplo do gato e tratar nossos amigos com afeto quando os encontramos. Mostre carinho e prazer genuínos ao vê-los, em vez de dizer só um "E aí?". Deixe claro que é bom encontrá-los. Sorria, mostre entusiasmo, irradie afeto: com isso, sua presença e as relações com as pessoas ao seu redor vão se tornar mais ricas e significativas.

# OFEREÇA PRESENTES

"GATOS PODEM SER MUITO DIVERTIDOS E TÊM OS JEITOS MAIS ESTRANHOS DE MOSTRAR QUE ESTÃO FELIZES EM VER VOCÊ. RUDIMACE SEMPRE FAZIA XIXI NOS NOSSOS SAPATOS."

W. H. AUDEN

É uma honra ser presenteado por um gato. Seja colocando um rato morto na sua porta ou trazendo-o para dentro de casa, esse é o jeito felino de demonstrar amor, cuidado e confiança. Gatas compartilham comida com seus filhotes, e seu gato, quando lhe oferece um presente, quer mostrar seu amor e dizer que você não vai passar fome nem necessidade.

Claro que um rato morto pode não ser um presente tão agradável, mas dar presentes é um sinal de que você se importa e quer agradar. E, quando o mimo é inesperado e bem pensado, vai significar bem mais que isso. Seja como o gato: ofereça presentes esporádicos para aqueles que são importantes e especiais para você – só escolha algo mais apropriado que um rato!

# EXPLORE

"OBSERVE UM GATO ENTRANDO
EM UM LUGAR PELA PRIMEIRA
VEZ. ELE VASCULHA E CHEIRA AS
COISAS, NÃO FICA QUIETO NEM
POR UM MINUTO, NÃO CONFIA EM
NADA ATÉ TER EXAMINADO
E CONHECIDO TUDO."

JEAN-JACQUES ROUSSEAU

Sempre que há algo novo em casa, o gato vai querer investigar. Vai olhar, observar, cheirar. Se você chegar com sacolas de compras, ele logo vai verificar se há brinquedos, comidinhas ou outra iguaria felina. Se forem móveis macios, ele vai analisá-los e provavelmente tomá-los como seu novo canto para se aninhar, dormir ou arranhar. Mesmo uma máquina de lavar pode ser recebida com farejadas – até o gato decidir que máquinas de lavar não são coisa para gatos.

Através de observação e investigação, o gato aprende e descobre coisas. E assim deveria ser com a gente também. Em vez de fecharmos a mente para as novidades, nós deveríamos ao menos tentar descobrir mais. Sendo curiosos, perguntando, observando e mantendo a mente aberta nós podemos aprender, crescer e atingir nosso máximo potencial.

Assim como um gato, curta a emoção de explorar.

# CUIDE-SE

"É DA NATUREZA DO GATO SAIR EM ALGUMAS PERAMBULAÇÕES DESACOMPANHADO."

ADLAI E. STEVENSON

Enquanto passeia pelo jardim, é comum que o gato pare para mascar algumas folhas de grama. E embora grama possa parecer uma escolha curiosa para um gato, que é carnívoro, essa é sua maneira de conseguir ácido fólico, uma importante vitamina para a digestão.

Devíamos seguir o exemplo do gato e procurar comer o que é bom para nós. Frutas e vegetais, fibras, grãos e leguminosas podem manter nosso sistema em forma. Se quisermos viver e curtir a vida como os gatos, cuidar de nós mesmos e observar o que comemos deve ser uma prioridade.

# MANTENHA A CABEÇA BAIXA

"GATOS RARAMENTE INTERFEREM NA VIDA DOS OUTROS. SUA INTELIGÊNCIA OS IMPEDE DE FAZER MUITAS DAS COISAS TOLAS QUE COMPLICAM A VIDA."

CARL VAN VECHTEN

Quando alguém levanta a voz, muitos gatos viram as costas e procuram outro lugar. E, se não puderem sair, eles se abaixam e se mantêm imóveis, procurando passar despercebidos.

Gatos detestam tensão e fazem de tudo para evitar situações hostis e ameaçadoras. Vozes altas e gritaria, em particular, os deixam desconfiados. Essa também é uma lição que podemos aprender. Se percebermos que alguém está prestes a perder o controle ou se uma situação se tornar preocupante, nós podemos, quando possível, nos resguardar de discussões acaloradas e deixar a situação se acalmar enquanto ficamos discretamente fora do caminho.

Às vezes, pode ser prudente “manter a cabeça baixa”.

# EXTRAVASE

"UMA COISA CURIOSA DOS GATOS
É SAIR CORRENDO FEITO MALUCOS
POR NENHUMA RAZÃO, E ENTÃO
PARAR DE REPENTE."

AGNES REPPLIER

Um comportamento curioso de muitos gatos é começar de repente uma corrida desenfreada pela sala, primeiro se arremessando em uma direção, depois em outra, antes de finalmente parar e voltar ao seu estado normal e tranquilo.

Um dos motivos para fazerem isso é que assim os gatos liberam energia reprimida, principalmente se ficaram inativos por um tempo. Em nossas vidas, há dias em que não fazemos muita atividade física e nossa energia acaba acumulada, muitas vezes nos causando agitação e problemas para dormir. Como os gatos, nós também precisamos liberar esse vigor excedente. Dar uma caminhada, fazer exercícios ou qualquer outra atividade física que exija um pouco de esforço pode deixar você mais relaxado e menos estressado.

Quando você tem muita energia acumulada, pode ser bom extravasar – assim como um gato.

# DURMA

"NÃO HÁ COMO OLHAR
PARA UM GATO DORMINDO
E SE SENTIR TENSO."

JANE PAULEY

Todos os dias, gatos passam cerca de doze a dezesseis horas em um sono abençoado. Enquanto dormem, eles não só descansam, mas também recuperam energia, se preparando para o que virá.

Apesar de nossa necessidade de sono ser diferente, não podemos nos esquecer do valor do sono. Ele nos permite relaxar, assimilar pensamentos e digerir acontecimentos e nos prepara mental e fisicamente para o dia seguinte. Ele é essencial para o nosso bem-estar, mas ainda assim, com as necessidades da vida moderna, pode ser tentador cortar algumas horas do sono para ficarmos mais tempo acordados. Mas nos privar do descanso de que nosso corpo precisa pode ter um efeito debilitante. Assim como os gatos, precisamos reconhecer a importância do sono. Além de ser essencial para a nossa saúde e o nosso humor, ele também nos deixa mais atentos, produtivos e energizados.

Não ignore o valor do sono – algo que o gato sabe muito bem.

# PENSE DUAS VEZES

"A INTELIGÊNCIA DO GATO É SUBESTIMADA."

LOUIS WAIN

Muitos gatos imploram por comida e, quando ela é colocada na tigela, pensam melhor e vão embora. Talvez eles cedam e voltem para dar uma beliscada, mas normalmente aguentam firme até lhe servirem algo melhor. O gato sabe que, de vez em quando, é melhor não aceitar o que lhe é oferecido na primeira vez, mas esperar para ver as outras opções e então decidir.

Nós também podemos usar essa estratégia de espera para conseguirmos um bom resultado. Quando lhe oferecerem algo, em vez de aceitar qualquer ninharia, pense um pouco sobre o que realmente estão ofertando – se é o que você quer, quais as consequências disso e se poderia ser melhor. Às vezes poderia ser, às vezes não, mas o gato sabe que vale a pena pensar duas vezes e aproveitar os benefícios que a paciência e o autocontrole podem trazer.

# ALONGUE-SE

"SE ALONGAMENTO DESSE
DINHEIRO, OS GATOS
SERIAM RICOS."

PROVÉRBIO AFRICANO

Quando um gato acorda depois de um descanso ou um cochilo, gosta de dar uma boa espreguiçada. Isso não só ajuda os músculos a voltarem à ativa, mas também melhora a circulação e prepara o corpo para as atividades seguintes.

Alongar-se pode ser extremamente benéfico, já que muitos de nós permanecemos sentados por longos períodos. O alongamento pode nos revigorar, oferecer alívio para os músculos rígidos e melhorar a postura, a flexibilidade e o bem-estar. Gatos se alongam por um bom motivo, e só teremos a ganhar se incorporarmos essa prática à nossa rotina e procurarmos aprender mais sobre alongamento e atividades físicas.

# RECOMPENSAS

"GATOS PODEM COOPERAR MUITO QUANDO ALGO PARECE BOM – O QUE, PARA UM GATO, É COMO TUDO DEVERIA SER NA MAIOR PARTE DO TEMPO."

ROGER A. CARAS

Gatos, assim como nós, adoram uma boa recompensa. Se quiser que seu gato aprenda alguma coisa, um delicioso petisco pode ser o incentivo de que ele precisa. Sabendo que, se fizer o que queremos, ganhará algo, ele provavelmente irá colaborar. Às vezes vale a pena fazer um esforcinho para ganhar uma recompensa.

Nós também somos assim. Um incentivo pode nos impulsionar para frente. Se você quer conquistar uma coisa, é válido ter em mente o resultado e as recompensas que podem vir das suas ações. Para um gato, comida pode ser o suficiente. Mas, para nós, as recompensas que podemos receber quando nos empenhamos são quase ilimitadas.

# AUTOCUIDADO

"GATOS SÃO ORNAMENTOS VIVOS."

EDWIN LENT

Gatos passam um bom tempo se lambendo, e por um bom motivo: isso mantém seus pelos limpos e também protegidos contra bichinhos que possam ficar grudados. Além disso, se o gato tiver sido tocado, uma boa lambida ajuda a amaciar o pelo e substituir o cheiro humano pelo seu próprio. Gatos são bastante orgulhosos e vaidosos, e conhecem as vantagens disso.

Isso também pode se aplicar a nós. Cuidar de nós mesmos – da higiene, da aparência e da vestimenta – não só aumenta o bem-estar físico, mas também a autoconfiança. Assim como acontece com o gato, uma caprichada sessão de autocuidado pode nos deixar mais bonitos, além de ser ótima para o corpo e a autoestima.

É como dizem: "A primeira impressão é a que fica", e ter uma boa aparência pode fazer bem em muitos níveis.

# CORAGEM

"LÁ NO FUNDO, SOMOS TODOS MOTIVADOS PELOS MESMOS ANSEIOS. GATOS TÊM A CORAGEM DE SEGUI-LOS."

JIM DAVIS

São várias as histórias de gatos que foram retirados de suas casas e percorreram longas distâncias para voltar.

Empreender uma jornada dessas exige muita coragem. O gato sabe que, para alcançar seu destino, deve enfrentar muitos obstáculos.

Em nossa vida, também pode haver momentos em que estamos desesperados para conquistar uma coisa e, assim como o gato, precisamos nos aventurar para bem longe da nossa zona de conforto. Será necessário ter coragem e, se quisermos chegar lá, devemos encarar a jornada.

A coragem de alguns gatos é mesmo notável e, como eles, nós também precisamos explorar as habilidades e a força extraordinária que moram em nós. Como Virgílio observou, "A sorte favorece os corajosos" – e são os corajosos, que seguem em frente e realizam, que quase sempre alcançam seus objetivos.

Gatos podem ser muito valentes. E nós também.

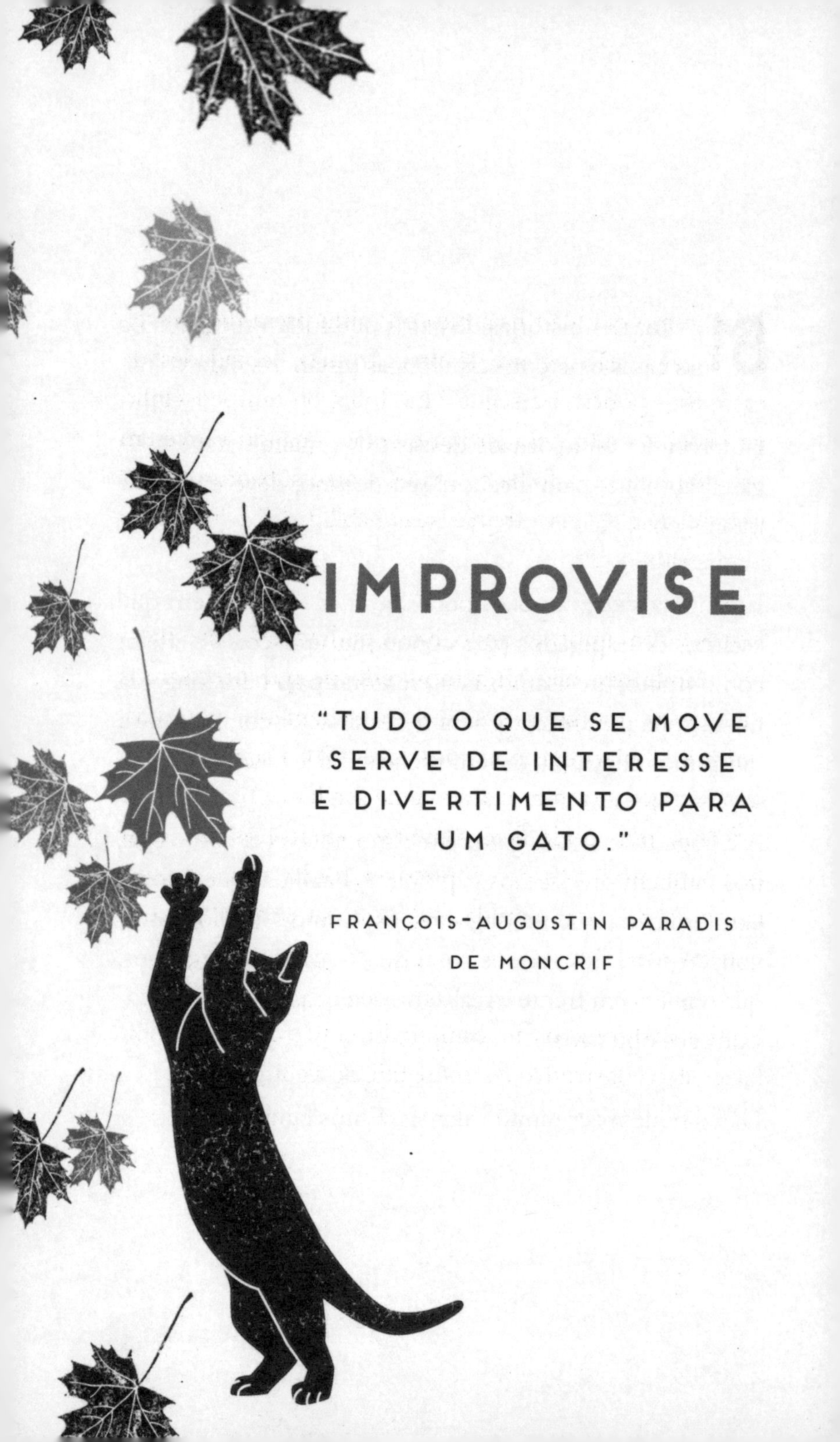

# IMPROVISE

"TUDO O QUE SE MOVE SERVE DE INTERESSE E DIVERTIMENTO PARA UM GATO."

FRANÇOIS-AUGUSTIN PARADIS DE MONCRIF

Mesmo que não haja rato ou outra presa disponível, gatos não param de praticar suas habilidades de caça. Eles podem perseguir uma folha ou um pedacinho de papel voando pelo jardim e então, quando estiverem prontos, atacar. A folha e o papel são só substitutos, mas isso permite ao gato treinar suas habilidades e mantê-las bem afiadas.

Gatos vivem improvisando, e nós podemos fazer o mesmo. Ainda que não tenhamos tudo de que precisamos ou que as condições não sejam exatamente perfeitas, sempre há algo que podemos fazer. Por exemplo: você não tem que se matricular em uma academia para manter a forma, pois pode fazer inúmeros exercícios sem usar equipamentos. Sempre é possível tomar uma atitude, como se preparar, estudar, praticar ou pensar sobre o que se quer fazer.

Seja criativo como o gato e improvise com o que está à mão. Fazer algo construtivo é sempre útil, de alguma forma.

# A LINGUAGEM DOS OLHOS

"É EM SEUS OLHOS QUE A MÁGICA MORA."

ARTHUR SYMONS

Os olhos dos gatos são enormes em comparação ao tamanho da cabeça. Os olhos e a visão são especialmente importantes para o gato, não só para caçar e enxergar bem em diferentes luzes (o que ele pode fazer graças às pupilas verticais), mas também para se comunicar.

Quando um gato está com os olhos bem abertos, é sinal de que está atento; já o olhar fixo mostra agressividade. Se um gato semicerrar os olhos, quer dizer que está à vontade. A linguagem dos olhos pode revelar bastante sobre o humor e os sentimentos mais íntimos – não à toa, os olhos são chamados de "janelas da alma". Nossos olhos dizem muito. Olhos bem abertos podem significar atração ou interesse, enquanto um olhar para o alto e à esquerda pode indicar que estamos relembrando coisas e revisitando memórias. Por outro lado, olhar para cima e para a direita sugere que estamos pensando de forma mais criativa. Mas tome cuidado: olhar para baixo e evitar contato visual pode ser sinal de desinteresse.

Gatos usam os olhos para se comunicar, e, embora nem sempre notemos isso, nós também. Em suas conversas e interações, observe os olhos dos outros: isso pode ajudar a entender o que e como eles talvez estejam pensando.

# CONHEÇA SUA ÁREA

"QUANDO ELA ANDAVA...
SE ESTICAVA, LONGA E MAGRA
COMO UMA PEQUENA TIGRESA,
E MANTINHA A CABEÇA ALTA
PARA OLHAR POR CIMA DA
GRAMA, COMO SE ESTIVESSE
DESBRAVANDO A FLORESTA."

SARAH ORNE JEWETT

O território e o ambiente são extremamente importantes para os gatos, e eles sempre fazem questão de conhecê-los bem. Para os felinos, o território pode ser fonte de comida e também um lugar seguro.

Seu território principal costuma ser a casa, mas gatos também têm espaços fora dela, que eles marcam e usam em seu favor.

Assim como os gatos, nós damos muito valor à nossa casa, mas nem sempre aproveitamos tudo o que está disponível em nossa vizinhança. Em muitos bairros e cidades há recursos e serviços que podemos utilizar, além de opções de diversão.

Para os gatos, um ambiente pode ser um verdadeiro banquete de coisas para observar e fazer. Seu bairro e sua cidade podem ser mais interessantes do que você imagina. Seja como o gato: procure conhecer mais a área em que você mora e descubra tudo o que ela pode oferecer.

# CONSCIÊNCIA

"GATOS PODEM LER
SUA PERSONALIDADE MELHOR
QUE UM PSICÓLOGO CARO."

PAUL GALLICO

Quando você está mal, muitas vezes seu gato virá sentar-se com você ou deitar-se ao seu lado. Os gatos estão sempre ligados em nossos sentimentos e oferecem não só companhia, mas também conforto quando precisamos. Isso pode ser bastante terapêutico.

Aqui vai uma lição preciosa que podemos aprender com os bichanos: se alguém que você conhece não está bem, nem se sentindo especial, mostre que você se importa, oferecendo ajuda ou procurando-o. Suas ações e palavras podem valer muito – mais do que você imagina – e levantar o ânimo de alguém que não está se sentindo legal.

Isso também se aplica às nossas relações cotidianas; consideração e perguntas atenciosas costumam ter valor inestimável.

Seja como o gato: observador e compreensivo. Um simples gesto pode fazer uma diferença surpreendente.

# REFLITA

"O GATO MORA DENTRO DE SEUS PENSAMENTOS SECRETOS."

AGNES REPPLIER

Durante o dia, muitos gatos ficam sentados, silenciosos e imóveis, perdidos nos próprios pensamentos. Talvez nós não tenhamos o privilégio de saber o que estão pensando, mas enquanto permanecem assim, em descanso, eles parecem felizes.

Nós também podemos desfrutar desse processo meditativo e aprender com ele: nos permitindo um tempo para ficar em silêncio, nos dedicando aos nossos pensamentos. Um momento de quietude ajuda a alimentar o corpo e a mente, dando chance para ideias surgirem e pensamentos se organizarem, além de trazer uma sensação de calma.

Como Pitágoras disse: "Aprenda a ficar em silêncio; permita que sua mente ouça e absorva".

Você se sentirá muito melhor depois disso.

# TIRE UMA FOLGA

"GATOS SÃO MÁGICOS... QUANTO MAIS VOCÊ BRINCA COM ELES, MAIS VOCÊS DOIS VIVEM."

ANÔNIMO

A presença de um gato traz muita alegria ao lar, e essa alegria pode ser ainda maior quando vocês passam tempo juntos.

Brincar com seu bichano aumenta a conexão entre vocês e faz bem para ambos. Para o gato, a brincadeira pode ser mentalmente estimulante e ajuda a queimar um pouco da energia excedente (que é, muitas vezes, a causa de problemas comportamentais). Brincar também é ótimo para a confiança dele, em especial por encorajá-lo a se envolver e interagir com os outros.

Para nós, brincar diverte, relaxa e descontrai. Aproveitar cada tempinho livre é essencial em nossa rotina tão acelerada.

Os gatos podem nos ensinar muitas coisas, e passar um tempo junto com o seu faz muito bem: vai deixar o bichano ronronando e você sorrindo.

Todos nós precisamos de folgas: sempre nos sentimos melhor depois delas.

# AROMAS

"ERVA-GATEIRA É A VODCA
E O UÍSQUE DOS GATOS."

CARL VAN VECHTEN

O olfato é muito importante para os gatos, tanto que eles têm cerca de 200 milhões de receptores olfativos no nariz, enquanto nós temos apenas 5 milhões.

Gatos utilizam o cheiro como uma forma de identificação; quando se roçam em você, estão transferindo seu próprio cheiro, para que você se torne parte do grupo social deles. Eles também usam o cheiro para marcar território e se comunicar com outros gatos. Ao sentirem o aroma da erva-gateira, alguns gatos podem ser levados a um estado de êxtase, tal é seu efeito.

Assim como os felinos, que dão bastante importância ao olfato, nós também podemos explorar esse sentido. Perfumes e loções pós-barba podem ser agradáveis e melhorar nosso humor, e a fragrância de flores, de pão quentinho saindo do forno e de café moído na hora, junto com outros cheiros deliciosos, são irresistíveis para muita gente. Os aromas também podem ser usados para aumentar o bem-estar; limão e hortelã são indicados para alertar a mente, enquanto lavanda promove uma sensação de calma e, para alguns, ajuda a ter uma boa noite de sono.

Gatos prestam muita atenção aos aromas. À nossa maneira, nós também podemos usá-los para deixar os ambientes mais agradáveis e aconchegantes, inclusive para descansar e relaxar.

# DECISÕES

"JÁ ESTUDEI MUITOS
FILÓSOFOS E MUITOS GATOS.
A SABEDORIA DOS GATOS
É INFINITAMENTE SUPERIOR."

HIPPOLYTE TAINE

Se um gato tiver a chance de sair de casa e descobrir, bem quando está prestes a se aventurar, que está chovendo e ventando lá fora, vai abanar o rabo enquanto decide o que fazer. Da mesma forma, se tiver que escolher entre um cochilo em frente a uma lareira quentinha ou uma longa soneca em uma cama confortável, ele provavelmente vai abanar o rabo enquanto toma sua decisão. Esse movimento – abanar o rabo de um lado para o outro – mostra que o gato está pensando, dividido entre duas opções. É também uma forma de dizer: "Deixe-me em paz e permita que eu pense sobre isso sozinho".

Embora nós não tenhamos (nem precisemos de) um rabo para abanar, deveríamos pedir silêncio e dizer aos outros quando precisamos de um tempo para pensar, ou ir para um lugar onde não seremos incomodados enquanto ponderamos. Decisões importantes precisam, sim, de tempo e reflexão silenciosa, e, quando você faz isso, elas serão sempre melhores e mais certeiras.

# ADAPTE-SE

"A MELHOR COISA SOBRE OS GATOS É SUA INFINITA VARIEDADE. É POSSÍVEL ENCONTRAR UM GATO PARA QUASE QUALQUER TIPO DE DECORAÇÃO, COR, SISTEMA, SITUAÇÃO FINANCEIRA, PERSONALIDADE, HUMOR. MAS, POR BAIXO DOS PELOS, QUALQUER QUE SEJA SUA COR, PERMANECE ESSENCIALMENTE INALTERADO UM DOS ESPÍRITOS MAIS LIVRES DO MUNDO."

ERIC GURNEY

Uma das razões para os gatos serem bichos de estimação tão populares é que eles se encaixam bem em qualquer lar. Silenciosos, discretos e carinhosos, eles vão aos poucos entrando nas nossas vidas e todos nos tornamos melhores por isso. Mas, quando saem de casa, voltam ao seu mundo e às suas maneiras felinas. Gatos são muito bons em se adaptar. Até mesmo gatos selvagens têm se mostrado cada vez mais adaptáveis à vida moderna.

Se quisermos prosperar, devemos fazer como os gatos, tão bem-sucedidos em se adaptar. Vivemos tempos dinâmicos, com o impacto de novos sistemas, processos e tecnologias. Em vez de resistir, é importante se manter atualizado e se ajustar ao momento. Se permanecermos vinculados a processos antigos, corremos o risco de ficar para trás. Podemos aprender com os gatos como nos adaptar com sucesso a cada situação: fazendo isso, aproveitaremos muito mais as oportunidades que a vida moderna nos oferece.

# RESPONSABILIDADES

"ATÉ O GATO É UM LEÃO
EM SEU PRÓPRIO LAR."

PROVÉRBIO INDIANO

Embora o gato goste de companhia, seja vivendo com seu dono ou se encontrando e brincando com outros gatos, ele também precisa de uma certa independência. Quando sai à caça, ele vai sozinho. Essa é uma responsabilidade dele, e, se estivesse na natureza, sua existência e sua sobrevivência estariam em jogo.

Esse senso de responsabilidade se aplica a nós também. O que acontece nas nossas vidas é o resultado do que nós fazemos e de como usamos nossos talentos, habilidades e oportunidades. Mas, ao contrário do gato, às vezes pode ser fácil procurar desculpas ou só "passar a bola". Seja como o gato: assuma responsabilidade por você mesmo e por suas ações, pois o resultado depende do que você faz. O gato pode gostar da vida boa e aproveitar as oportunidades oferecidas pelos outros, mas ele também sabe que deve cuidar de si mesmo. Ele nunca foge da responsabilidade; nós também não deveríamos fugir.

# LINGUAGEM CORPORAL

"VI O GATO MAIS LINDO HOJE. ESTAVA SENTADO NO ACOSTAMENTO, COM AS DUAS PATAS DA FRENTE PERFEITA E GRACIOSAMENTE JUNTAS. ENTÃO ELE VIROU O RABO, SOLENE, PARA CERCAR TODO O SEU CORPO. FOI UM GESTO TÃO LINDO E ELEGANTE, TÃO PRAZEROSO, TÃO COMPLACENTE."

ANNE MORROW LINDBERGH

O gato usa o corpo para se expressar. Seja na maneira como move o rabo ou as orelhas (que podem se mexer bastante), seja com sua postura geral, ele consegue transmitir seu humor e enviar mensagens para os outros. Por exemplo, orelhas e rabo para cima são geralmente um sinal positivo, mas quando está com as orelhas para baixo e o rabo eriçado, o gato mostra ansiedade. Se o bichano correr em sua direção com o rabo levantado e trêmulo, é sinal de que está muito feliz em ver você.

Nós também podemos, assim como os gatos, usar o corpo para nos comunicarmos com eficiência; precisamos, portanto, ter consciência dos nossos próprios sinais corporais. Ficar parado com os braços cruzados, por exemplo, forma uma barreira entre você e o outro. Por outro lado, se alguém adotar (e espelhar) uma postura similar à sua, isso é geralmente sinal de acordo ou concordância. Se inclinar para frente na direção do outro também pode significar interesse, assim como um aceno encorajador de cabeça.

Gatos são bastante habilidosos em demonstrar sentimentos através do corpo. Estando conscientes dos nossos próprios gestos e posturas, nós também podemos usar a linguagem corporal para expressar sentimentos e nos comunicar com os outros.

# ESPERE, QUE VALE A PENA

"O GATO SABE ESPERAR."

ROGER A. CARAS

Se um gato estiver caçando e descobrir a toca de um roedor, ficará observando-a com atenção, pronto para atacar no momento em que algo aparecer. Esse processo de perseguição e observação pode levar um longo tempo, mas o gato sabe que, se quiser ser bem-sucedido, deve jogar o jogo da espera.

Na nossa vida, algumas coisas que queremos podem não estar à disposição imediatamente. Mas, se elas forem mesmo importantes, nós devemos ser pacientes e saber que nosso objetivo e os benefícios que ele pode nos trazer valem a espera. Como Jean-Jacques Rousseau disse: "A paciência é amarga, mas seu fruto é doce".

Seja como o gato: esteja preparado para esperar. Mas também esteja pronto para atacar no momento em que a oportunidade aparecer.

# FAÇA UM BALANÇO

"DE TODOS OS ANIMAIS,
SÓ O GATO ALCANÇA
A VIDA CONTEMPLATIVA."

ANDREW LANG

Nas suas andanças, o gato às vezes para no meio do caminho e permanece imóvel por um tempo, reavaliando a situação, sentindo o que está à sua volta e ouvindo. Da mesma forma, na nossa vida, fazer uma pausa pode ser precioso: assim podemos pensar melhor, observar as mudanças, avaliar o que estamos fazendo e repensar a abordagem. Mais que passar a vida num ritmo acelerado, vale a pena fazer um balanço de vez em quando para avaliar a situação; então, estaremos mais preparados para o próximo passo. Assim como o gato.

# AMIZADE

"UMA VEZ QUE TENHA
CONQUISTADO A CONFIANÇA DELE,
O GATO SERÁ UM AMIGO PARA
A VIDA TODA. ELE ACOMPANHA
VOCÊ NAS HORAS DE TRABALHO,
DE SOLIDÃO, DE MELANCOLIA.
ELE PASSA NOITES INTEIRAS
NO SEU JOELHO, RONRONANDO
E COCHILANDO, CONTENTE
COM O SEU SILÊNCIO,
E REJEITANDO OS OUTROS
GATOS POR VOCÊ."

THÉOPHILE GAUTIER

Através de pequenos gestos, muitos gatos oferecem sua amizade e companhia: aconchegando-se no colo de alguém, recebendo um membro da família em casa ou participando de alguma atividade (espccialmente para brincar), se tornando parte da família. Ao oferecer amizade, o gato se torna um amigo.

Podemos enriquecer a nossa vida se oferecermos nossa amizade e nos aproximarmos dos outros. Se você se sentir sozinho, procure atividades das quais você possa participar, em sua comunidade, para conhecer outras pessoas. Se tiver amigos, procure-os, mostre apoio, encoraje-os e se prepare para ouvir e ser um amigo. Os gatos nos mostram que a amizade é uma parte importante da boa vida, que só tem a embelezar o nosso dia a dia.

Como o filósofo São Tomás de Aquino escreveu: "Não há nada no mundo mais valioso que a verdadeira amizade".

# VALORIZE O AGORA

"A RAZÃO PELA QUAL OS BICHOS DE ESTIMAÇÃO SÃO TÃO ADORÁVEIS E NOS AJUDAM TANTO É QUE ELES APRECIAM, SILENCIOSA E PLACIDAMENTE, O MOMENTO PRESENTE."

ARTHUR SCHOPENHAUER

Gatos vivem no presente e invariavelmente aproveitam ao máximo a sua situação. Se o clima estiver quente e convidativo lá fora, o gato vai sair e aproveitar o bom tempo. Da mesma forma, se estiver frio e úmido, se aninhar em uma cama seca e quentinha vai ser a escolha perfeita. Se tiver uma boa companhia, o gato estará inclinado a se juntar a ela.

Os gatos valorizam o agora. Em nossa vida, mesmo que tenhamos tensões e inúmeras coisas a fazer, ainda há muito a se apreciar no presente. Pode ser passando um tempo com quem você ama ou seus bichos de estimação, fazendo atividades, tocando projetos e indo atrás de seus interesses – há muitas coisas boas pelas quais se sentir grato.

Assim como o gato nos mostra, nós deveríamos curtir o agora e aproveitar as vantagens que ele traz. O agora é o nosso tempo e deve ser valorizado.

# SETE VIDAS

"FOI PROVIDÊNCIA DA NATUREZA
DAR A ESSA CRIATURA
SETE VIDAS EM VEZ DE UMA."

*PANCHATANTRA*

Já se disse muitas vezes que o gato tem sete vidas, porque em uma mesma existência ele vai se meter em várias enrascadas. Às vezes, isso pode vir da sua própria natureza curiosa e aventureira, mas na maioria dos casos o gato vai sobreviver ileso e se recuperar bem.

Em nossa vida, sem dúvida também teremos momentos difíceis para enfrentar. Mas, assim como o gato, somos inacreditavelmente resilientes. As adversidades nos permitem aprender, reajustar e até recomeçar do zero. Os desafios nos ensinam lições, nos transformam em quem somos e estão aí para serem superados.

Nós podemos não ter as sete vidas do gato – e, com sorte, não precisaremos delas –, mas, com nossa força interior e nossas capacidades, podemos triunfar sobre as adversidades e nos provar tão aptos à sobrevivência quanto um gato.

# LUGARES ESPECIAIS

"ONDE QUER QUE O GATO ESTEJA, DEVE HAVER FELICIDADE."

STANLEY SPENCER

Muitos gatos têm lugares favoritos – sob a sombra de um arbusto em especial, no parapeito de uma certa janela, na telha de uma garagem ou no galho de uma árvore – e vão transitar por ali, se sentindo seguros e contentes.

Um lugar especial pode nos fazer sentir bem. Seja por conta de sua atmosfera, serenidade ou beleza, ou porque nos permite ser nós mesmos, passar um tempo ali geralmente é restaurador e relaxante. Esse espaço pode ser uma oficina, uma sala de jogos, um jardim ou salão de beleza, ou só um canto que consideramos especial. Não importa onde sejam, lugares assim são um brinde para nossa mente.

Gatos adoram seus lugares favoritos... Nós deveríamos seguir o exemplo deles e curtir os nossos. Um espaço em que você se sinta livre para ser você.

# AVENTURE-SE COM EXPECTATIVA

"EM UM MUNDO SEMPRE UM POUCO MALUCO, O GATO ANDA COM CONFIANÇA."

ROSANNE AMBERSON

Quando os gatos saem para suas andanças, eles saem em um estado de expectativa. Talvez vejam e peguem alguma presa, recebam um carinho, ganhem uma guloseima de um vizinho simpático ou encontrem alguém para brincar. Eles saem para passear por um motivo, e porque esperam que algo vá acontecer, normalmente acontece.

Isso pode ocorrer conosco também. Se formos otimistas e esperarmos que algo bom apareça, uma ideia ou uma oportunidade, isso frequentemente acontece. Como afirmaram J. B. Morgan e Ewing T. Webb: "Quando você espera que coisas aconteçam – por mais estranho que pareça –, elas acontecem mesmo". Seja como o gato: quando for iniciar suas atividades, vá com expectativa.

# EXERCITE-SE

"PARA MIM, UM DOS PRAZERES
DA COMPANHIA DOS GATOS
É VER SUA DEVOÇÃO
AO CONFORTO FÍSICO."

*SIR* COMPTON MACKENZIE

Gatos são caçadores e, para serem bem-sucedidos, precisam se manter ágeis e em forma. Durante o dia, eles vão se exercitar de alguma maneira. Seja pulando, escalando, perseguindo ou arranhando, gatos gostam de cuidar de si e de se manter limpos. Essa atenção ao autocuidado é importante, tanto para se manter em forma quanto para o bem-estar geral.

Assim como os gatos, nós também podemos nos cuidar fazendo exercícios regulares e apropriados. Embora isso varie de acordo com a idade e as condições físicas – orientação profissional é sempre importante –, manter-se ativo pode aumentar o bem-estar e nos permitir ir além. Mesmo uma caminhada ou uma atividade como ioga, Pilates ou *tai chi* podem fazer uma diferença visível.

Seja como o gato: cuide-se e aproveite os benefícios dos exercícios regulares.

# ESCUTE

"O GATO TEM ORELHAS AGITADAS,
QUE SE MEXEM PRA CÁ E PRA LÁ.
E O QUE O GATO PODE OUVIR
SÓ ELE MESMO SABE."

DAVID MORTON

Os gatos, principalmente os mais novos, têm uma excelente audição. Como são caçadores, esse sentido permite que detectem os menores sussurros e sons e saibam de que direção e distância vieram. Mesmo quando estão cochilando, se ouvem algo de seu interesse, podem ficar atentos em segundos. Gatos têm uma audição incrivelmente sensível, e é por isso que podem ficar desconfortáveis em ambientes barulhentos.

Embora nossa audição não seja tão aguçada quanto a dos gatos, é importante valorizar esse sentido tão essencial para nós. A vida moderna nos bombardeia com sons: se não for o trânsito, são as máquinas, a tagarelice contínua, a TV, o rádio e muitas outras coisas, e com o tempo podemos sofrer as consequências disso.

Mesmo que seja difícil escapar do barulho, muitas vezes pode ser bom encontrar algum lugar silencioso para ouvir... só ouvir. Ouvir os sons da natureza: os pássaros (sempre do interesse dos gatos), a água escorrendo de uma fonte, a chuva caindo ou o puro silêncio (de fato, algo bem raro).

Os ouvidos dos gatos estão muito sintonizados com os sons ao redor. Assim como eles tentam evitar ambientes barulhentos, pode ser bom para nós às vezes fugir do barulho e curtir um pouco de silêncio.

E ouvir.

Só ouvir e apreciar.

# APROVEITE O MOMENTO

"O RUÍDO DE UM ABRIDOR DE LATAS É CAPAZ DE TRAZER VOANDO PARA A COZINHA ATÉ O GATO MAIS PROFUNDAMENTE ADORMECIDO."

BARBARA L. DIAMOND

Se há comida de que o gato gosta no armário e ele ouve o móvel sendo aberto, pode ter certeza de que ele vai aparecer rapidinho na cena. Ou se uma porta se abre e o gato quer ir para outro cômodo, ele provavelmente atravessará a porta antes que você perceba que ele se foi. O gato é um ávido oportunista e sabe que, se não aproveitar o momento, a oportunidade pode rapidamente escapar.

Em nossa vida, as oportunidades não duram muito: elas precisam ser aproveitadas quando aparecem. Seja como o gato e não deixe que elas escapem.

# DOCES SONHOS

"[UM GATO É] UM SONHADOR CUJA FILOSOFIA É DORMIR E DEIXAR DORMIR."

SAKI

Gatos adoram dormir e enquanto dormem eles costumam sonhar. Como perceber isso? Pelo súbito tremor dos bigodes, pelo movimento das patas, pelos seus murmúrios ou miadelas. Será que estão revivendo imagens do dia ou experimentando uma situação imaginária, como muitos de nós fazemos quando estamos dormindo?

Sonhar tem o seu valor porque nos permite processar o que está acontecendo em nossa vida, trabalhar emoções e imaginar cenários. Algumas pessoas – principalmente as de inclinação criativa – descobrem ideias e inspirações nos sonhos, prontas para serem colocadas em prática no dia seguinte.

Gatos precisam do sono, e sonhar é uma parte importante e necessária desse processo – alguns até dizem que os bichanos levam uma vida de sonho. É bom para eles, e é bom para nós também. Mais que ignorar ou esquecer nossos sonhos, nós deveríamos lembrar que o que acontece no nosso cérebro enquanto dormimos pode ser restaurador e benéfico para o lado emocional e a mente, além de nos ajudar a resolver problemas e explorar nossa imaginação.

Sonhos, tanto para nós quanto para os gatos, podem de fato ser doces.

# ESTRESSE

"GATOS NÃO GOSTAM
DE MUDANÇAS SEM
O SEU CONSENTIMENTO."

ROGER A. CARAS

Gatos não gostam de estresse e, quando ficam estressados, nos enviam sinais para mostrar que algo está errado. Pode ser evitando contato com os outros, alterando seus hábitos alimentares, dormindo demais (ou deixando de dormir) ou se tornando inquietos e barulhentos. O estresse se manifesta de muitas maneiras, mas seu gato não vai deixar dúvidas de que não está em sua melhor forma e precisa de ajuda.

Quando vivemos momentos de estresse, nós também enviamos sinais para os outros. Pode parecer bizarro, mas um deles é um pouco parecido com o que os gatos fazem. Quando estão assustados, eles eriçam o pelo para parecerem maiores; em nós, pelos se arrepiando na nuca podem nos fazer massagear a área para ajudar a aliviar o estresse. Entrelaçar os dedos com firmeza, envolver os pés ao redor das pernas da cadeira ou cobrir a boca quando falamos são todos sinais de desconforto.

Gatos demonstram visivelmente – e, às vezes, vocalmente – quando estão estressados e, de certa forma, buscam ajuda. Quando tentamos esconder a ansiedade, isso pode ser prejudicial. Se reconhecermos os sinais de estresse que nós e os outros mostram, podemos compreender e enfrentar melhor o problema.

O estresse afeta os gatos e a nós, e em ambos os casos precisamos estar atentos e dispostos a resolver o problema.

# PRIVACIDADE

"COM UM BOCEJO
E UM ALONGAMENTO
ELE SE LEVANTA
E SE VAI. O GATO
NUM MUNDO SÓ SEU."

NEIL SOMERVILLE

Há horas em que o gato vai desaparecer ou deixar seu dono sem saber para onde foi. Às vezes, depois de uma busca, vão encontrá-lo aninhado embaixo da cama ou em um canto isolado no jardim. O gato simplesmente sentiu que precisava de um tempo sozinho.

Tais momentos são bons para os bichanos… e para nós também.

Todos precisamos de privacidade, de um tempo para ficarmos sozinhos, quietos, sem ser incomodados.

Se você sente falta de um momento sozinho e há muitas pessoas em volta, diga "Preciso de um tempinho para mim", e elas vão entender. Ou, se achar que alguém precisa de um tempo consigo mesmo, respeite-o e deixe-o em paz.

Precisamos de nossos próprios momentos de privacidade – e como o gato, que se esconde para ficar sozinho, nós também temos que garantir um tempo a sós, em nosso próprio mundo.

# ESCOLHA O MELHOR

"UM PRATO É DESAGRADÁVEL PARA OS GATOS, E UM JORNAL É AINDA PIOR; ELES GOSTAM DE COMER PEDAÇOS SUCULENTOS DE CARNE SENTADOS EM UMA CADEIRA ALMOFADADA OU EM UM BELO TAPETE PERSA."

MARGARET BENSON

Gatos gostam do melhor. Se lhe deixarem escolher sua comida, eles vão optar pela marca mais cara, que costuma ser a mais saborosa. Em casa, eles também vão procurar o que é mais agradável. Seja uma almofada gorda, uma cama fofinha ou um lugar especialmente confortável, eles sabem do que gostam... e sempre buscam as melhores coisas da vida.

Gatos podem ser seletivos, e nós deveríamos seguir o exemplo e ir atrás das melhores opções. Seja pelo luxo e pela credibilidade que a qualidade oferece ou pelo prazer e conforto, aproveitar do melhor pode ser um mimo especial ou uma recompensa justa por muito do que fazemos.

Seja como o gato: quando puder, desfrute da qualidade.

Você merece!

# ATENÇÃO PLENA

"ELE ME LANÇOU UM OLHAR TÃO INTENSO QUE FUI INCAPAZ DE INTERPRETÁ-LO – DAQUELE JEITO COMO OS GATOS ÀS VEZES SE FIXAM EM VOCÊ. O QUE ELES QUEREM DIZER COM ESSE OLHAR ESTÁ COMPLETAMENTE FORA DA NOSSA COMPREENSÃO; MAS É PARA VOCÊ, E SOMENTE VOCÊ."

DONALD JAMES

Quando um gato nos olha com seus olhos grandes e ansiosos e se roça em nós, não restam dúvidas de que, nesse momento, somos o centro da atenção dele. Reconhecendo a aproximação e os olhares, respondemos de acordo.

É muito importante praticar a atenção plena nas interações com os outros. Com tantas distrações na vida moderna, a mente sempre está em outro lugar e a linha de pensamentos é constantemente interrompida. Como consequência, perdemos as coisas que estão acontecendo no presente, e nossas relações e conversas podem ser prejudicadas.

Podemos, no entanto, aprender com os gatos. Ao praticar a atenção plena, nos tornamos mais eficientes, aprimoramos nossas relações e entendemos muito melhor o que acontece ao redor.

# TOME CUIDADO COM SEU OLHAR

"OS DOIS GATOS NUNCA LUTAVAM FISICAMENTE. ELES TRAVAVAM GRANDES DUELOS COM OS OLHOS."

DORIS LESSING

No mundo dos gatos, a encarada envia mensagens poderosas. Quando dois rivais se encontram, eles vão se olhar fixamente, e o que fechar os olhos ou desviar o olhar primeiro é o que se rendeu.

Pode parecer estranho, mas, quando um gato entra em um cômodo cheio de gente, em geral vai gravitar ao redor daqueles que não são muito fãs de gatos. Isso porque essas são as pessoas que tendem a não encará-lo ou que tentam ignorá-lo, enquanto os amantes de gatos costumam seguir cada passo deles. Gatos não gostam de ser observados; isso os deixa desconfiados e desconfortáveis. Então, quando você se perceber fazendo isso, pisque um pouco para tranquilizá-lo, e ele provavelmente vai fechar os olhos em resposta.

Nós, assim como os gatos, ficamos inquietos quando estamos sendo observados. Em muitas culturas, encarar é considerado uma grosseria, e embora haja exceções, como namorados olhando com carinho um para o outro ou pessoas num debate, precisamos notar quanto tempo fixamos o olhar no outro, pois um olhar prolongado pode causar incômodo.

Os gatos consideram a encarada como uma ameaça, e nós também deveríamos saber da estranheza que isso pode causar. Piscar e desviar o olhar de tempos em tempos pode quebrar o gelo e ajudar em suas relações com os outros.

# VOCÊ NUNCA SABE

"UM GATO DORMINDO ESTÁ SEMPRE ALERTA."

FRED SCHWAB

Mesmo quando estão sonolentos, os gatos sempre mantêm um olho aberto. Eles não gostam de perder nada: se uma oportunidade aparecer ou uma porta se abrir, eles serão rápidos para aproveitar a deixa. Suas orelhas podem até se mexer se ouvirem um som que os interessa ou que os ameaça.

Manter um olho ou um ouvido aberto é, de fato, importante. Em nossa vida, precisamos estar atentos às possibilidades e ao acaso. É sempre bom estarmos prontos se algo interessante ou valioso aparecer.

Para aproveitar as oportunidades, seja como o gato e mantenha-se alerta. Não se sabe o que você pode ouvir ou ver, mas às vezes pode ser algo bom, então mantenha um olho aberto ou um ouvido atento.

Você nunca sabe.

# USE SEU SEXTO SENTIDO

"POIS O GATO É ENIGMÁTICO E PRÓXIMO DE COISAS ESTRANHAS QUE OS HOMENS NÃO PODEM VER."

H. P. LOVECRAFT

Com seus sentidos aguçados, os gatos estão sempre muito conscientes do seu entorno; são capazes até de detectar mudanças na atmosfera. É por isso que costumam ser associados ao mar: muitos marinheiros os levam a bordo para receber sinais de mau tempo. Existem vários casos de gatos que sentiram outros tipos de perigos, alertando seus donos sobre terremotos iminentes e riscos potenciais em casa, por exemplo, incêndio por superaquecimento de aparelhos.

Mesmo que a audição, a visão e o olfato dos humanos não sejam páreo para os gatos, deveríamos prestar mais atenção aos nossos sentidos. Se sentimos que algo não está certo ou se uma voz interior nos diz para tomar cuidado, nós deveríamos ouvir essa intuição.

Gatos são muito reativos ao que acontece ao redor e usam seus sentidos aguçados muito bem. Ouvindo nosso sexto sentido, podemos ser guiados para as ações corretas e evitar aquelas que não forem benéficas.

Como o gato, fique atento e ouça sua voz interior: ela pode ser uma boa bússola.

# SIGA EM FRENTE

"UMA CARINHA FOFA E UM RONRONAR, E O ÚLTIMO ACIDENTE JÁ ESTÁ PERDOADO."

ANÔNIMO

Às vezes, gatos causam acidentes. Meu próprio gato, Roly, uma vez derrubou um vaso lindo, algo que deixou minha mãe chateada e me preocupou. Lembro-me de Roly se afastando enquanto limpávamos a bagunça. Durante o resto do dia, ele se manteve discreto.

No dia seguinte, Roly estava de volta ao seu perfil aventureiro. Ele tinha seguido em frente, embora nunca mais tenha se arriscado na prateleira onde o acidente aconteceu.

Em nossa vida, acidentes e contratempos acontecem, mas, assim como Roly e outros gatos, nós deveríamos nos lembrar de que o que passou passou. Lições podem ser aprendidas e sempre há a chance de um recomeço.

Podemos até nos arrepender de algumas coisas que fizemos, de problemas e mágoas que causamos, mas precisamos seguir em frente – mais sábios e muitas vezes magoados, mas sempre em frente.

# ROTINA

"QUALQUER CASA COM AO MENOS UM MEMBRO FELINO NÃO PRECISA DE DESPERTADOR."

LOUISE A. BELCHER

Dizem que "gatos são criaturas de hábitos", e os bichanos realmente apreciam rotina e padrões. Eles sabem a hora em que seus donos despertam – e muitas vezes os acordam, se dormirem demais. Eles até parecem saber quando as pessoas saem para o trabalho e quando voltam, se posicionando momentos antes de recebê-las em casa. Gatos têm um ótimo relógio interno.

Os bichanos também sabem – e esperam ansiosamente – a hora de comer e a hora que seus donos costumam fazer carinho neles.

Rotina oferece estrutura e permite que os gatos se preparem para o que vem adiante. Assim também é conosco. Ter uma rotina nos ajuda a sermos mais eficientes, muitas vezes liberando nosso bem mais precioso: o tempo.

Gatos gostam de rotina e há muito a ganhar se estabelecermos bem a nossa, refletindo sobre a melhor e mais eficiente maneira de organizar nossas atividades diárias.

# ENTUSIASMO

"É COMPLETAMENTE INÚTIL, É CLARO, CHAMAR UM GATO FOCADO EM SUA CAÇADA. ELES SÃO SURDOS PARA O ININTERRUPTO DRAMA HUMANO. ESTÃO FAZENDO COISAS DE GATOS, COMPENETRADOS E TOTALMENTE ENVOLVIDOS."

JOHN D. MACDONALD

Se ganhar um novo brinquedo, é provável que o gato o encare com considerável interesse, arranhando-o, cheirando-o e vendo se faz algum barulho. Ele fará isso com bastante intensidade – na maioria das vezes, para o nosso divertimento.

Mas há algo mais ali.

A paixão, o foco e a energia dos gatos nos atraem... E nós os observamos com fascínio.

Isso é o que a paixão e o entusiasmo fazem.

Quando você mostra entusiasmo, ele é transmitido aos outros, atraindo-os também. O entusiasmo é contagioso, e assim como é gostoso observar um gato entusiasmado, a empolgação que nós mesmos geramos pode significar alegria, estímulo e inspiração para os outros.

Quando for começar suas atividades, injete entusiasmo nelas. Isso pode fazer uma grande diferença e, como muitos gatos mostraram, é capaz de envolver até quem está de fora.

Entusiasmo é como um ímã: tem um grande poder de atração.

# SEJA CLARO

"GATOS PEDEM CLARAMENTE
O QUE QUEREM."

WALTER SAVAGE LANDOR

Muitos donos acreditam que seus gatos têm um miado diferente para diferentes situações, que eles logo aprendem a identificar. Pode ser um "me deixe sair" ou "me deixe entrar", um carinhoso "me dê atenção", um irritado "por favor, me alimente"; cada som é uma maneira eficiente de um bichano nos dizer o que quer. Apesar de o repertório ser um pouco limitado, é bastante eficaz.

Essa habilidade de chamar a atenção de alguém para o que você quer é importante, especialmente quando os outros estão ocupados. Com gatos não há rodeios: um miado específico já é o suficiente. No nosso caso, a clareza na mensagem pode evitar mal-entendidos e garantir que os outros saibam com precisão o que queremos.

Assim como os gatos, que chamam a atenção para suas necessidades – garantindo que saibamos quais são –, a precisão e a clareza também são ótimas para nós. Dessa forma, você terá muito mais chances de conseguir o que quer – algo que um gato sabe muito bem.

# IMPONHA-SE

"ALGUMAS PESSOAS DIZEM
QUE O HOMEM É O ANIMAL
MAIS PERIGOSO DO PLANETA.
OBVIAMENTE ESSAS PESSOAS
NUNCA VIRAM UM GATO FURIOSO."

LILLIAN JOHNSON

A maioria dos gatos evita confronto, mas de vez em quando eles tomam uma atitude para defender o que é deles – normalmente território ou espaço.

Assim como os gatos, que se defendem quando as circunstâncias pedem, vai haver uma hora em que nós também precisaremos ficar firmes e defender o que é valioso para nós, como nossos princípios e crenças. Talvez não desejemos criar cenas ou aborrecimentos, mas, se algo é importante para nós, os outros precisam saber nossa posição.

Gatos são criaturas relativamente tolerantes, mas eles também conhecem a importância de se impor e de ser ouvidos. Apesar de seu tamanho, eles não são moles e quase sempre conseguem as coisas do jeito deles. Quando algo importante está em jogo, nós também precisamos deixar nossa posição e nossos sentimentos bastante claros para os outros.

Quando a situação pede, o gato mostra uma força considerável. E nós também.

# GANHA-GANHA

"NINGUÉM QUE NÃO ESTEJA PREPARADO PARA MIMAR UM GATO RECEBERÁ DELE A RECOMPENSA RESERVADA ÀQUELES QUE O MIMAM."

*SIR* COMPTON MACKENZIE

Gatos trazem muita alegria aos nossos lares. E eles adoram morar conosco, valorizando a segurança e o conforto que isso traz – e também a comida à vontade, claro.

Em retorno, oferecem companhia, e sua presença tranquilizadora é muito boa para a nossa saúde. Com um gatinho em casa, valorizamos os benefícios que ele nos traz. É uma relação "ganha-ganha": um ganho para o bichano – ele sempre parece saber de quem puxar o saco – e um ganho para nós.

Esse princípio funciona por muitos motivos. Ao longo da vida, vamos firmando compromissos, e buscar uma situação ganha-ganha oferece vantagens para todos: para você e para a outra parte. O gato sabe que se beneficia da relação conosco, e podemos procurar isso em outras áreas da nossa vida.

"Ganha-ganha" é um dos hábitos que Stephen R. Covey descreve em *Os 7 hábitos das pessoas altamente eficazes*. Segundo ele, "ganha-ganha trata-se de encarar a vida como uma arena de cooperação", em que "ambos conseguem comer a torta, e ela é gostosa pra caramba!".

Estou certo de que o gato, um *expert* do ganha-ganha, concorda com isso.

# IMPRESSIONE

"GATOS NUNCA FAZEM UMA POSE QUE NÃO SEJA FOTOGÊNICA."

LILLIAN JACKSON BRAUN

Quando saem para suas aventuras, os gatos se movem com dignidade e elegância. Com a cabeça erguida, o corpo longilíneo e o rabo comprido, o gato é uma figura atraente, e há muita graça em seus movimentos vagarosos e calculados. De muitas maneiras, felinos são abençoados com estilo e são uma delícia de observar.

E podemos aprender com eles. O jeito como nos movemos é importante, e é válido pensar sobre a nossa postura. Curvar-se ou se arrastar pode sugerir uma atitude indiferente, ao passo que caminhar com a cabeça erguida transmite dignidade e confiança e causa uma boa impressão.

O gato tem elegância; seja como ele. Cuidar da sua postura e caminhar altivamente faz com que você não só pareça bonito, mas também se sinta bonito.

# AUTOSSUFICIÊNCIA

"O GATO MANTÉM SUAS UNHAS
AFIADAS PORQUE SABE
QUE UM RONRONAR TALVEZ
NÃO SEJA SUFICIENTE."

ANÔNIMO

Embora gatos domésticos sejam bem alimentados e não precisem caçar, eles estão sempre buscando manter suas habilidades de caça apuradas. Assim, são autossuficientes, capazes de cuidar de si mesmos se a necessidade aparecer.

Nossas necessidades são muito diferentes das dos gatos, mas é essencial manter e adquirir habilidades que possam nos ajudar tanto agora quanto no futuro. Se decidir aprender algo novo que seja útil ou que talvez aumente sua renda e suas perspectivas, ou se tentar confiar mais em você e em seus talentos, vai descobrir que fazer isso é investir em você mesmo.

Dentro de você estão as riquezas do amanhã.

Como o gato bem sabe, vale a pena manter suas habilidades afiadas.

# SAIBA ONDE ESTÃO AS COISAS

"GATOS NÃO SAEM DE CASA PARA CHEGAR A ALGUM LUGAR, MAS PARA EXPLORAR."

SIDNEY DENHAM

Gatos costumam construir um mapa mental das suas redondezas e de seu território. Eles gostam de saber onde estão as coisas, onde é melhor ir (incluindo as áreas de caça mais proveitosas) e quais são os lugares a evitar. Esse conhecimento é extremamente útil. Quase todos os dias, eles vão fazer questão de verificar sua área e pensar no que pode ter mudado.

E isso pode também ser útil para nós. Saber onde certas coisas estão – e ter um lugar para guardá-las – nos permite ser mais preparados, organizados e eficientes. Assim como o gato, que gosta de saber onde as coisas estão, fazer isso em nossa casa (e no trabalho) é ótimo – sem contar a economia de tempo que isso representa.

Seja como o gato: acostume-se a saber onde as coisas estão.

# OLHE ANTES DE PULAR

"AO CONTRÁRIO DE NÓS, OS GATOS NUNCA SUPERAM O PRAZER DE TESTAR SUAS CAPACIDADES FELINAS NEM SE CONTENTAM COM LIMITAÇÕES. GATOS, EU ACHO, VIVEM CUMPRINDO SUAS EXPECTATIVAS."

IRVING TOWNSEND

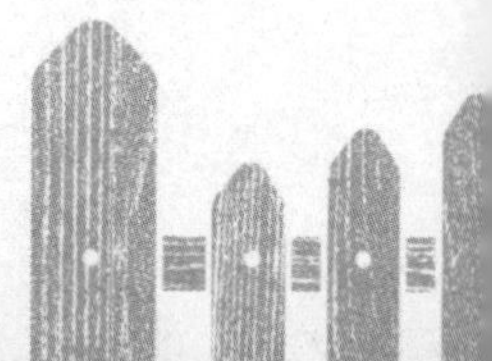

Quando um gato se prepara para pular, ele foca onde pretende pisar, medindo a distância e o que é necessário para alcançar o alvo. Mesmo se esse alvo estiver longe e exigir um esforço final, o gato quase sempre consegue chegar aonde quer. Ele certamente sabe avaliar riscos, e nós podemos aprender com isso.

Se há um propósito ou objetivo que você queira alcançar, gaste um tempo avaliando o que é necessário para chegar lá. E, mais que mergulhar em projetos e atividades às cegas, prepare-se e considere bem o que está em jogo. Dessa maneira, você terá mais chances de alcançar o seu alvo. Seja como o gato: avalie o objetivo e saiba aonde você está indo.

# SEJA TRANSPARENTE

"NÃO HÁ GATOS COMUNS."

COLETTE

Gatos são ótimos em revelar seu verdadeiro eu. Quando encontrar um gato pela primeira vez, provavelmente você já vai ter uma boa ideia de como ele é. Ele pode ser tímido, carinhoso, brincalhão, rabugento (do tipo "me deixe em paz"), pode gostar de companhia humana ou não. Como ele revela sua natureza, nós sabemos como lidar com ele.

Essa transparência também pode ser útil em nossas interações com os outros. Se você for aberto e sincero, as pessoas que conhecer serão capazes de avaliá-lo e reagir a você, e suas relações e conversas provavelmente serão melhores. Por exemplo, quando for apresentado a alguém novo ou for começar uma conversa, pode ser bom mencionar um interesse-chave ou um fato curioso sobre você, além de mostrar interesse na outra pessoa e no que ela está dizendo. Isso pode ajudá-lo a estabelecer conexão e afinidade.

Gatos nos permitem saber como tratá-los, e nos mostram do que gostam e não gostam. Abrir-se para as pessoas que conhece tende a tornar suas interações mais interessantes e muito mais gratificantes.

# DEMONSTRE SUA FELICIDADE

"RONRONAR PARECE SER, NO CASO DO GATO, UM DISPOSITIVO AUTOMÁTICO, UMA VÁLVULA DE ESCAPE PARA LIDAR COM O TRANSBORDAMENTO DE FELICIDADE."

MONICA EDWARDS

O ronronar de um gato é quase sempre sinal de felicidade. Se estiver recebendo carinho, se limpando ou encontrando alguém querido – felino ou humano –, o ronronar será uma indicação de que o gato está satisfeito. Mas também pode ser uma fonte de conforto, quando ele não está muito bem.

Assim como o gato, que usa o ronronar em seu favor, nós podemos murmurar, assobiar ou cantar. Dessa forma, nossos próprios sons de satisfação podem nos ajudar a levantar o ânimo. Um murmúrio, assobio ou canção podem melhorar seu humor, e, se alguém o ouvir, talvez se anime também (considerando que você seja razoavelmente afinado, é claro!).

Cantarolar ou ronronar com certeza fazem bem.

"O TEMPO NÃO PODE APAGAR A MEMÓRIA DE UM GATO, E A FITA ADESIVA NÃO PODE REMOVER COMPLETAMENTE OS PELOS DO SOFÁ."

LEO DWORKEN

Possessivos, gatos são especialistas em deixar sua marca. Eles geralmente fazem isso através de cheiros ou métodos mais visuais, como arranhões.

Deixar sua marca é importante, pois se trata de mais uma maneira de se comunicar – e isso também se aplica a nós. Nossa marca é nossa assinatura, é algo de que devemos nos orgulhar. Ela representa você e torná-la reconhecível, talvez adicionando um diferencial – um rabisco, uma linha ou uma letra proeminente –, pode ajudar a reforçar a sua identidade.

Assim como é para os gatos, nossa marca é importante, especialmente pela impressão que deixamos e pela maneira como ela nos representa.

Orgulhe-se de sua assinatura e de como você deixa sua marca.

# NUNCA É TARDE

"GATOS TÊM SENSO DE HUMOR, COMO FICA DEMONSTRADO NO SEU EXTREMO AMOR AO BRINCAR. UM GATO DE MEIA-IDADE PODE BRINCAR TÃO À VONTADE QUANTO UM FILHOTINHO, EMBORA SAIBA BEM QUE É APENAS UM JOGO."

WILLIAM LYON PHELPS

Gatos adoram brincar – e não é à toa, pois brincar cria momentos de diversão, ajuda o gato a explorar suas habilidades e encoraja interações sociais. Depois que crescem e atingem os cinco meses, a tendência a brincar diminui.

Mas nunca é tarde.

Se um gato mais velho tiver a oportunidade, ou se você mexer com ele, ele quase sempre estará disposto a brincar. E há uma lição a ser aprendida aqui.

Talvez você já tenha pensado em aprimorar uma habilidade, viajar para um determinado destino, escrever um livro ou alcançar um objetivo. Se sim, por que não revisitar essa ideia e ver o que consegue fazer?

Os bichanos nos mostram que nunca é tarde para reacender a alegria e o prazer de brincar – ou reavivar certas esperanças, planos, *hobbies* e atividades que talvez tenhamos deixado de lado.

Nunca é tarde... Se você não der uma chance, nunca saberá o que poderia ser.

# RELÓGIO BIOLÓGICO

"GATOS SEMPRE FORAM
ASSOCIADOS À LUA.
ELES GANHAM VIDA À NOITE,
FUGINDO DA HUMANIDADE
E VAGANDO PELOS TELHADOS
COM SEUS OLHOS BRILHANTES
ATRAVÉS DA ESCURIDÃO."

PATRICIA DALE-GREEN

Durante o dia, talvez o gato pareça levar a vida calmamente, dormindo, cochilando e de vez em quando vagando por aí para inspecionar seu território. De noite e de madrugada, porém, muitos gatos se tornam mais ativos. Essa é a hora de perambular, comer, perseguir, caçar e às vezes se meter em travessuras. De acordo com seu relógio interno, essa é a hora da ação.

Assim como os gatos, que aproveitam ao máximo o tempo que lhes parece certo, você também deveria prestar atenção no seu próprio relógio interno e, quando possível, deixar as tarefas mais importantes para quando estiver no seu auge. Para alguns, é nas primeiras horas da manhã; para outros, à noite. De qualquer forma, seja como o gato: escute e respeite seu relógio biológico para aproveitar o período que melhor lhe convier.

# CONSIDERAÇÕES FINAIS

"AO SE RELACIONAR COM UM GATO, O ÚNICO RISCO É SE TORNAR MAIS RICO."

COLETTE

Gatos são celebrados de várias maneiras. No Egito Antigo havia Bastet, uma sagrada deusa felina muito reverenciada, e ao longo dos séculos as habilidades felinas no controle de pragas foram muito valorizadas. Apesar de não se saber quando foram domesticados – alguns estimam que poderia ser por volta de 9.500 anos atrás –, os bichanos têm sido uma boa companhia para os seres humanos há muito tempo e hoje em dia eles estão por toda parte. Os gatos não só agraciam nossos lares, mas também encontraram espaço na literatura, na arte e na música, nos palcos e nas telas. Os olhos de gato das estradas são uma presença visível e importante. Gatos estão em todos os lugares, transmitindo alegria e amizade.

Enquanto este livro vai chegando ao fim, aproveite para pensar sobre o que o gato – o seu gato – significa para você, o que ele trouxe para a sua vida. Pense nos momentos especiais que compartilharam, naquela vez que ele olhou para você, você piscou e ele fechou os olhos por um tempinho em resposta, ou quando as travessuras dele divertiram você. Ou quando você não estava se sentindo bem e seu gato se aninhou em seu colo, oferecendo-lhe conforto.

Os gatos nos proporcionam muitos momentos especiais, que permanecerão conosco por muito tempo.

Valorize esses momentos. Eles são parte da alegria de conviver com os gatos, e, ao relembrá-los, você provavelmente vai perceber que eles colocaram um sorriso em seu rosto ou iluminaram sua vida de algum jeito. Gatos são uma dádiva, com sua sabedoria única.

# LISTA DAS LIÇÕES EM ORDEM ALFABÉTICA

ADAPTE-SE
A LINGUAGEM DOS OLHOS
ALONGUE-SE
AMIZADE
APROVEITE O MOMENTO
AROMAS
ATENÇÃO PLENA
AUTOCUIDADO
AUTOSSUFICIÊNCIA
AVENTURE-SE COM EXPECTATIVA
CONHEÇA SUA ÁREA
CONSCIÊNCIA
CORAGEM
CUIDE-SE
DECISÕES
DEIXE SUA MARCA
DEMONSTRE SUA FELICIDADE
DOCES SONHOS
DURMA
ENTUSIASMO
ESCOLHA O MELHOR
ESCUTE
ESPERE, QUE VALE A PENA
ESTRESSE
EXERCITE-SE
EXPLORE
EXTRAVASE
FAÇA UM BALANÇO
GANHA-GANHA
GRATIDÃO
IMPONHA-SE
IMPRESSIONE
IMPROVISE
LINGUAGEM CORPORAL
LUGARES ESPECIAIS
MANTENHA A CABEÇA BAIXA
NUNCA É TARDE
OBSERVAÇÃO SILENCIOSA
OFEREÇA PRESENTES
OLHE ANTES DE PULAR
PENSE DUAS VEZES
PERSISTÊNCIA
PRIVACIDADE
RECOMPENSAS
REFLITA
RELAXE
RELÓGIO BIOLÓGICO
RESPONSABILIDADES
ROTINA
SAIBA ONDE ESTÃO AS COISAS
SAUDAÇÕES ESPECIAIS
SEJA CLARO
SEJA TRANSPARENTE
SETE VIDAS
SIGA EM FRENTE
TIRE UMA FOLGA
TOME CUIDADO COM SEU OLHAR
USE SEU SEXTO SENTIDO
VALORIZE O AGORA
VOCÊ NUNCA SABE

# AGRADECIMENTOS

Meus gatos e os de outras pessoas me ajudaram muito enquanto escrevia este livro. Também sou grato à minha família – Ros, Richard e Emily – por seus pensamentos e lembranças de gatos. Menção especial também aos meus pais, Peggy e Don, que incentivaram meu amor pelos bichanos, à minha editora na HarperCollins, Carolyn Thorne, por seu entusiasmo, e a Barbara Smith, Joan Moules, Barbara Booker e Rene Scott, por sua confiança e apoio. A David Finnerty, novamente, foi muito bom conversar sobre gatos. A todos vocês: obrigado.

E obrigado, leitor, por seu interesse neste livro.

Título original: *Cat Wisdom - 60 Great Lessons You Can Learn from a Cat*



O texto deste livro foi fixado conforme o acordo ortográfico vigente no Brasil desde 1º de janeiro de 2009.

EDIÇÃO Bia Nunes de Sousa
PREPARAÇÃO Mariana Zanini
REVISÃO Claudia Vilas Gomes
CAPA E PROJETO GRÁFICO Amanda Cestaro

1ª edição, 2019 / 2ª edição, 2022
Impresso no Brasil

Dados Internacionais de Catalogação na Publicação (CIP)
(Câmara Brasileira do Livro, SP, Brasil)

---

Somerville, Neil
O que podemos aprender com os gatos : 60 grandes lições para levar a vida com graça e leveza / Neil Somerville ; tradução de Raquel Nakasone. -- 2. ed. -- São Paulo : Alaúde Editorial, 2022.

Título original: Cat wisdom : 60 great lessons youcan learn from a cat
ISBN 978-65-86049-89-3

1. Animais de estimação 2. Autoajuda 3. Autoconhecimento 4. Filosofia de vida 5. Gatos 6. Relacionamentos humanos-animais I. Título.

22-110062 CDD-636.82

---

Índices para catálogo sistemático:
1. Gatos : Relacionamentos humanos-animais : Animais de estimação 636.82
Cibele Maria Dias - Bibliotecária - CRB-8/9427

*O conteúdo desta obra, agora publicada pelo Grupo Editorial Alta Books, é o mesmo da edição anterior.*

2022
A Editora Alaúde faz parte do
Grupo Editorial Alta Books
Avenida Paulista, 1337, conjunto 11
01311-200 – São Paulo – SP
www.alaude.com.br
blog.alaude.com.br

Compartilhe a sua opinião sobre este livro usando a hashtag **#OQuePodemosAprenderComOsGatos** nas nossas redes sociais:

/EditoraAlaude
/EditoraAlaude
/EditoraAlaude
/EditoraAlaude